# Mon amie la neige

Texte de
**Etta Kaner**

Illustrations de
**Marie Lafrance**

Texte français de
**Ann Lamontagne**

**Éditions SCHOLASTIC**

# Qui aime la neige?

J'aime la neige parce qu'elle
me permet d'utiliser
ma pelle neuve.

Je me demande pourquoi
il neige.

Les flocons grossissent à leur tour et,
quand ils sont trop lourds pour rester
dans les airs, ils tombent au sol.

La neige vient des nuages. Les nuages sont constitués de minuscules gouttes d'eau. Quand il fait très froid dehors, les gouttes d'eau se transforment en morceaux de glace appelés cristaux.

Les cristaux grossissent quand ils rencontrent d'autres gouttes d'eau qui gèlent à leur contact. Ces cristaux, devenus plus gros, s'appellent des flocons de neige.

J'aime la neige parce qu'elle recouvre la terre comme une couverture blanche.

Je me demande pourquoi
la neige est blanche.

C'est cette lumière blanche que tu perçois. Voilà pourquoi la neige te semble blanche.

Les cristaux de glace qui forment les flocons de neige ont plusieurs côtés plats.

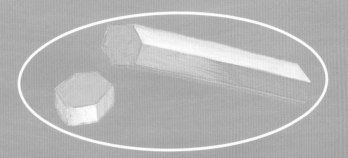

Quand la lumière les éclaire, ces côtés plats agissent comme de petits miroirs. Ils réfléchissent la lumière jusqu'à tes yeux.

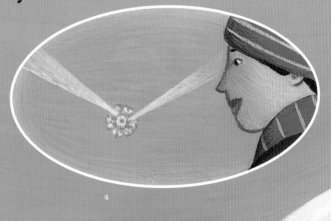

J'aime la neige parce qu'elle vient se poser sur mon visage, légère comme une plume.

Je me demande à quoi
ressemblent les flocons
quand on les voit de près.

Il y en a qui font penser à des carreaux
de céramique.

Et d'autres qui rappellent la dentelle.

La forme d'un flocon de neige dépend
du froid qu'il fait et de l'humidité
contenue dans l'air.

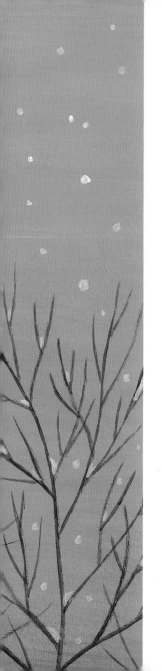

Les flocons de neige ont des formes différentes, très nombreuses.

Certains flocons ressemblent à des étoiles.

D'autres sont comme des aiguilles.

D'autres encore ressemblent à des crayons.

J'aime la neige parce que, les jours où il y en a, tout est tranquille.

Je me demande
pourquoi tout
est si tranquille
quand il neige.

C'est pourquoi il est plus difficile
d'entendre les sons. Tout semble donc
plus calme à l'extérieur.

La neige qui vient de tomber contient
des millions de trous microscopiques
remplis d'air, parce qu'il y a des trous
dans chaque flocon et entre les flocons.

Tous ces trous emprisonnent les sons.

J'aime la neige parce que je peux
faire un bonhomme de neige.

Je me demande pourquoi
je peux parfois faire
des boules de neige et
parfois, je ne peux pas.

Par jour de grand froid, les cristaux sont gelés, durs et secs. Ils ne collent pas les uns aux autres. Il est alors impossible de faire une boule de neige.

Les flocons de neige sont composés de cristaux de glace. Les jours où il fait plus chaud, les cristaux fondent un peu et deviennent mouillés. Ils peuvent alors se coller les uns aux autres quand tu en fais une boule. Ta boule de neige garde donc sa forme.

J'aime la neige parce que
je peux jouer à faire
des anges.

Je me demande pourquoi
je ne m'enfonce qu'un peu
quand je me couche
dans la neige.

Quand tu t'étends dans la neige, ton poids est réparti sur une plus grande surface. Il y a beaucoup de neige pour supporter ton corps. Ainsi, tu t'enfonces juste un peu.

Quand tu es debout sur la neige, le poids de ton corps est réparti sur une petite surface. Comme il n'y a pas assez de neige pour te soutenir, tu t'enfonces beaucoup.

J'aime la neige parce que je peux
jouer au Roi du château.

Je me demande où va
la neige au printemps.

La chaleur du soleil change lentement
l'eau qui reste en toutes petites gouttes.
C'est ce qu'on appelle de la vapeur
d'eau. La vapeur d'eau monte et
se mélange à l'air.

Au printemps, l'air se réchauffe.
L'air chaud fait fondre la neige,
qui se transforme
en eau.

Beaucoup de cette eau disparaît dans
les égouts.

J'aime la neige parce que je peux aller glisser en traîne sauvage.

Je me demande pourquoi je peux glisser sur la neige, mais pas sur le gazon.

Sur la neige, il y a très peu de friction.
C'est parce que la neige est glissante.
Elle est faite d'eau gelée, et l'eau rend
les choses glissantes; c'est pourquoi
il est plus facile de glisser.

La friction survient quand deux choses frottent l'une contre l'autre. Quand il y a beaucoup de friction, les choses bougent avec difficulté. Quand il n'y en a qu'un peu, les choses bougent avec plus de facilité.

Si tu essaies de glisser sur l'herbe rugueuse en traîne sauvage, il y aura beaucoup de friction. Cela t'empêchera de glisser.

J'aime la neige parce qu'elle embellit les arbres.

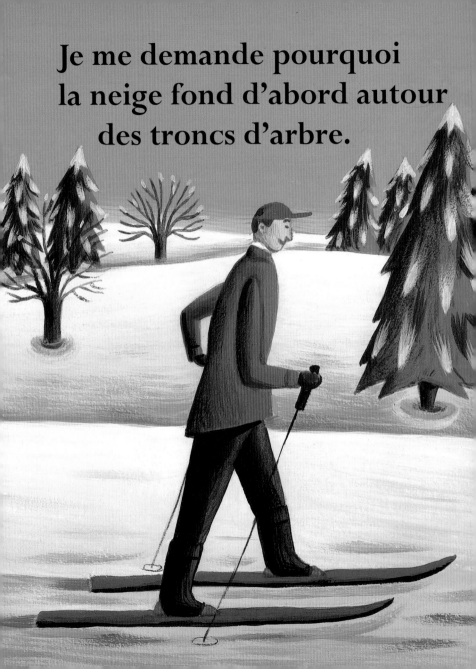

Je me demande pourquoi
la neige fond d'abord autour
des troncs d'arbre.

La neige devient vapeur et se mélange à l'air. Elle laisse une zone dénudée autour du tronc, appelée puits d'arbre.

Le soleil peut te réchauffer même quand il fait froid. Quand un rayon de soleil touche un tronc d'arbre, il le réchauffe aussi.

Le tronc d'arbre retient la chaleur du soleil. Il la communique ensuite à la neige environnante.

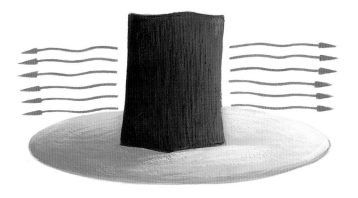

J'aime la neige parce que
je peux y voir des empreintes.

Je me demande comment les pattes de mon chien restent chaudes dans la neige.

Entre les coussins de leurs pattes,
les chiens ont de la fourrure.
Et cette fourrure est comme une
paire de chaussettes chaudes.

Ces épais coussins et cette fourrure
tiennent les pattes du chien au chaud.

Les chiens ont d'épais coussins sous leurs pattes. Ces coussins sont faits de plusieurs couches de peau. La couche externe est très dure.
Elle ressemble à la semelle de tes bottes.

J'aime la neige parce que, parfois, quand je marche, je l'entends craquer.

Je me demande
pourquoi la
neige craque.

Quand tu marches, tes bottes exercent
une pression sur les cristaux de neige
et les cassent.

Le bruit que tu entends est produit par
les cristaux qui se brisent.

La neige craque seulement quand il fait très froid dehors.

Quand il fait très froid, les cristaux de neige rendent les flocons très durs. Ils cassent facilement.

J'aime la neige parce qu'elle
rend la nuit plus claire.

Je me demande comment
la neige rend la nuit
plus claire.

Toute cette lumière rend la nuit
plus claire.

Une partie de la lumière qui éclaire un objet blanc est réfléchie dans l'air, comme une balle qui rebondit.

Quand les rayons de la lune éclairent la neige, la lumière est donc réfléchie dans l'air.

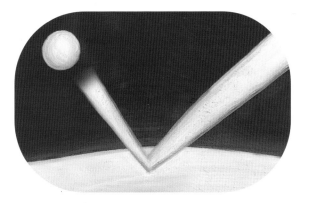

Et toi, pourquoi aimes-tu la neige?